獻給全世界的語言老師和語言學習者

Copyright © 2023 by Sylvia Chen
All rights reserved.

「快一點妹妹！我們不要在開學第一天就遲到了。」
媽媽催促地說。

我慢慢地走下樓梯，
「可是，媽媽…為什麼我
一定要轉學呢？」

「這樣妳才可以同時學習兩種語言啊！想想看，妳跟外婆、外公，還有住在亞洲的親戚們可以流利地談各種有趣的話題。多好啊！」媽媽微笑著說。

「但是妳跟爸爸都不會說中文,為什麼我就得學呢?」我一邊問一邊吃媽媽剛做好的花生果醬三明治。

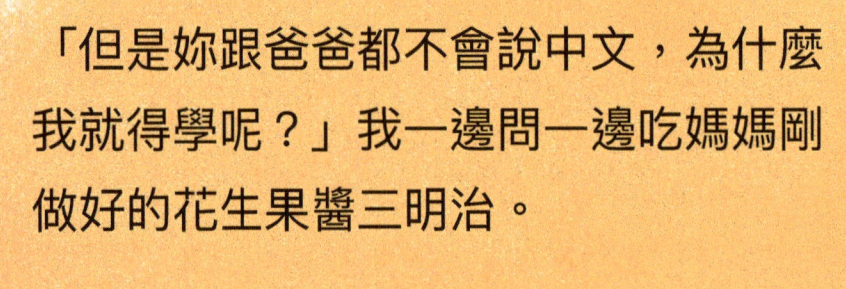

媽媽耐心地說：「我們以前根本沒有雙語學校。要是我可以在學校學中文的話，那該有多好！」

我開始想像在新學校的生活會是什麼樣子。媽媽告訴我，我會有兩位老師；一位用英文教課，一位用中文教課。

突然，我的胃好像打了一個結似的，「媽媽，我的中文夠好嗎？」我緊張地問。媽媽笑了笑，用慈祥的眼神看著我說：「當然啦！我們應該謝謝外婆和外公。」

當外婆和外公每個暑假來美國
看我們的時候,我都會跟他們練習中文。

而且每個禮拜天,我也會去中文學校上課。
如果他們講的中文我大概都聽得懂,那麼在
新的學校應該也不會有什麼問題吧?

「好了,妹妹,我們走吧!」媽媽拿起車鑰匙往車庫的方向走去。臨走前,我從飯桌上拿了一張紙,在上面練習寫下了自己的中文名字,以免等一下忘記怎麼寫。

當我們到新學校時,我緊緊地握住媽媽的手,慢慢地走向人群。媽媽說:「妳的班導師是伍德里老師。我們去排隊吧!」

「伍德里老師您好,這是我的女兒Jamie,這是她第一次上雙語班。」

「妳好Jamie!我們很開心妳能夠加入我們班。今天妳會先跟著我,接下來再去陳老師的班。」
「陳老師,來見見我們的新學生吧!」

突然,一位穿著黑色長裙的老師向我走過來...

「妳好!我是陳老師,妳叫什麼名字?」
「我的名字是劉艾維...」我小聲地用中文回答。
「很高興認識妳!我們待會見喔!」

在帶著她的學生們回教室前,陳老師給了我一個微笑。
我鬆了一口氣,很慶幸自己聽得懂她講的話。

我的同學們都很友善，很多人已經開始跟我分享在DLI班的經驗。我不知道"DLI"這三個字母代表什麼，Claire，留著一頭長髮的女孩，告訴我那是"雙語班(Dual Language Immersion)"的簡稱，也就是我們這樣的班級。

她說,雙語班每年都會有兩位老師,而且我一定要學會整理,因為我們需要跟另一班的學生合用桌子和文具。

我沒有想太多,也不太了解她說的"另一班"是什麼意思。我單純地只因為交到新朋友而感到開心。

一切都跟我之前的學校差不多,直到伍德里老師說:「好嘍!請大家一起讓出空間給另一班的學生們;我跟陳老師要一起解釋我們的班規。」這時候,陳老師帶著二十幾位學生們一起走進來,教室突然變得非常擁擠!

在接下來的二十分鐘內，我學到了很多事情...

我學到了如果伍德里老師是你的班導師，你的班就叫做長頸鹿班。如果陳老師是你的班導師，你的班就叫做大象班。

我學到了長頸鹿班需要把他們的東西放在桌子裡的左邊，大象班需要把他們的東西放在右邊。

我學到當老師們需要跟全部的學生講話的時候,
我們兩班就會像現在這樣子聚在一起。

我也學到了,
在陳老師的班上,大家都講中文。
我往教室裡看了一圈,覺得很好奇,
心裡想:*他們真的都會說中文嗎?*

聽完班規之後，陳老師就把大象班的學生們帶回她的教室了。
我們開始和伍德里老師進行了一些開學日的活動。

我們聽了故事...

once upon a time

玩了遊戲...

認識新朋友...

當我們要換教室的時候,Claire興奮地說:
「記得拿好妳所有的東西喔,要上中文課了!」

我一走出伍德里老師的教室時,
我看到大象班的學生也從陳老師的教室走出來。

然後，我聽到排在第一個的Charles很有自信地用中文說：「陳老師早！」，接著後面的所有人也都一一用中文打招呼。真的是太不可思議了！

接下來,我就像踏進了一個新世界一樣,忽然間到處都是中文!

我學到了我們會用中文寫作,
當遇到不會的字時,可以先用拼音寫。

我學到了Claire的中文名字是"文昱",
而且其他人也都有自己的中文名字。

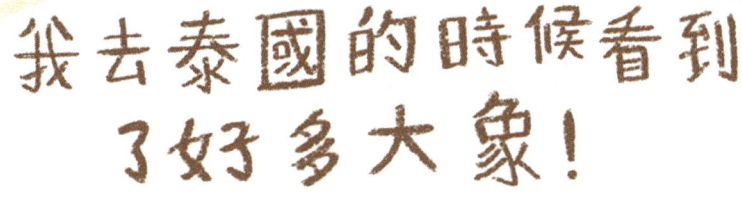

我也學到了另一班叫 大象班，因為陳老師超愛大象的！
或許，我們班叫 長頸鹿班，因為伍德里老師像長頸鹿一樣高。

聽完中文班規之後，
我們開始跟陳老師做一些開學日的活動。

我們聽了中文故事...

用中文介紹自己...

玩了象棋...

換你了.

當我正玩得開心的時候，

鈴聲突然響了。

陳老師大聲地說：

「放學嘍！」

在兩個班級學習,時間似乎過得非常快。
這的確跟我以前的學校不太一樣,
但是我很期待可以在這麼特別的學校上課!

www.ingramcontent.com/pod-product-compliance
Lightning Source LLC
Chambersburg PA
CBHW050804220426
43209CB00089BA/1682